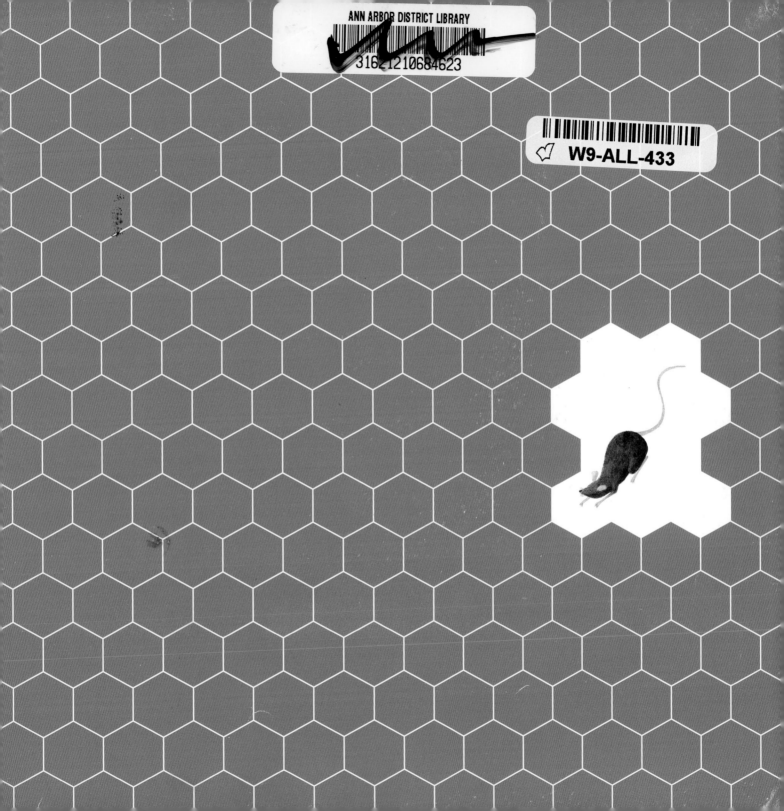

Diseño de la colección: Carla López Bauer

Edición: Violante Krahe

© Del texto: Pepe Maestro
© De las ilustraciones: María Wernicke
© De esta edición: Editorial Luis Vives 2010
  Carretera de Madrid, km. 315,700
  50012 Zaragoza
  Teléfono: 913 344 883
  www.edelvives.es

ISBN: 978-84-263-7386-1
Depósito legal: Z. 186-2010

 Talleres Gráficos Edelvives (50012 Zaragoza)
Certificado ISO 9001
Printed in Spain

COLECCIÓN
COLORÍN
COLORADO

El flautista de Hamelin

Texto
Pepe Maestro
Ilustración
María Wernicke

EDELVIVES

ÉRASE UNA VEZ

UNA BELLA CIUDAD LLAMADA HAMELIN,

A LOS PIES DE UNA MONTAÑA Y BAÑADA POR UN RÍO.

SUS HABITANTES VIVÍAN FELICES Y ORGULLOSOS.

PERO, UN DÍA, LAS RATAS INVADIERON LA CIUDAD.

CIENTOS, MILES DE RATAS LLEGARON

DE TODAS PARTES ATRAVESANDO LOS MUROS,

CRUZANDO LAS CALLES, TREPANDO POR LAS PAREDES,

Y SUBIÉNDOSE A LOS ÁRBOLES...

ANIDARON EN CADA HUECO Y EN CADA RINCÓN.

SE CONVIRTIERON EN LAS AUTÉNTICAS DUEÑAS

DE HAMELIN Y NINGUNA CASA QUEDÓ A SALVO.

PARA LOS HABITANTES LA SITUACIÓN

SE VOLVIÓ DESESPERADA.

AL ABRIR UN ARMARIO, AL SACUDIR UNA ALMOHADA,
AL BUSCAR UN JUGUETE O, SIMPLEMENTE,
AL CONTAR UN CUENTO, SIEMPRE, SIEMPRE,
HABÍA UNA RATA QUE SE CRUZABA EN SU CAMINO.
Y POR SUPUESTO, TUVIERON QUE OLVIDARSE
DEL PAN, DEL ARROZ, DEL QUESO...

POR MUY ESCONDIDA QUE ESTUVIESE LA COMIDA,
AQUELLAS RATAS SIEMPRE LA ENCONTRABAN.
¡SE LO ZAMPABAN TODO!

UNA MAÑANA, DESESPERADO Y HAMBRIENTO,
EL ALCALDE REUNIÓ A LOS VECINOS:

—¡ESTO NO PUEDE SEGUIR ASÍ! ESTA MAÑANA
AL AFEITARME... ¡HE ENCONTRADO UNA RATA
EN MIS PROPIAS BARBAS! ESTOY DISPUESTO A DAR
UNA RECOMPENSA A LA PERSONA QUE LOGRE
LIBRARNOS DE ELLAS...

HUBO UN LARGO SILENCIO.

—ESTOY DISPUESTO A DAR VEINTE MONEDAS DE ORO.

PERO NADIE CREÍA QUE EXISTIESE ALGUIEN CAPAZ

DE ACABAR CON AQUELLAS RATAS.

—CUARENTA MONEDAS, SI ME APURÁIS...

ENTONCES SE OYÓ UNA VOZ DESDE EL FONDO:

—¿HABÉIS DICHO CUARENTA?

TODOS SE GIRARON Y VIERON A UN PERSONAJE
BASTANTE ESTRAFALARIO QUE LLEVABA
UNA FLAUTA QUE LE COLGABA SOBRE EL PECHO.
EL ALCALDE, SORPRENDIDO, CONTESTÓ:
—SÍ, CUARENTA, ESO ES LO QUE HE DICHO.
—SI ES ASÍ, OS LIBRARÉ DE ELLAS.
—¿Y SE PUEDE SABER CÓMO LO LOGRARÉIS?
—ESO CORRE DE MI PARTE.
Y MIENTRAS LO DECÍA, SUS LARGOS DEDOS
ACARICIABAN LA FLAUTA.

CUANDO LA REUNIÓN TERMINÓ, EL FLAUTISTA
COMENZÓ A TOCAR SU FLAUTA.

MIENTRAS CAMINABA ALEGREMENTE,
LA MELODÍA SE FUE EXTENDIENDO POR LAS CALLES.
A SU PASO, COMO POR ARTE DE MAGIA,
LAS RATAS FUERON ABANDONANDO LAS CASAS,
BAJANDO DE LAS PAREDES Y LOS ÁRBOLES,
SALIENDO DE CADA POZO Y CADA AGUJERO.
SE ARREMOLINARON BAILANDO DETRÁS DE ÉL.
PUES ESO ERA PRECISAMENTE LO QUE HACÍAN
LAS RATAS, BAILAR.

AL RITMO INCESANTE DE LA MÚSICA, LA LARGA
PROCESIÓN SALIÓ DE HAMELIN Y SE ENCAMINÓ
HACIA EL RÍO.

EL FLAUTISTA, SIN DEJAR DE TOCAR, LO ATRAVESÓ
DANDO SALTOS ENTRE LAS PIEDRAS.
LAS RATAS, QUERIENDO SEGUIRLE, SE METIERON
EN EL AGUA Y MURIERON AHOGADAS.

EN LA CIUDAD COMENZARON A CELEBRARLO.
¡DEMASIADO PRONTO, LAS CAMPANAS DE HAMELIN
TOCARON EL FIN DE LA PESADILLA!

EL FLAUTISTA VOLVIÓ Y RECLAMÓ SU RECOMPENSA:

—SEÑOR ALCALDE, MI PARTE ESTÁ CUMPLIDA.
CUMPLID VOS LA VUESTRA Y ENTREGADME
MIS CUARENTA MONEDAS.

EL ALCALDE LE ENTREGÓ UN PEQUEÑO SACO,
Y EL FLAUTISTA, AL ABRIRLO, EXCLAMÓ:

—PERO ¿QUÉ ES ESTO? ¿DIEZ MONEDAS? ÉSE NO ERA
EL TRATO. DIJISTEIS QUE SERÍAN CUARENTA.

EL ALCALDE, QUE SÓLO PENSABA EN COMER ALGO, DIJO:

—CUARENTA MONEDAS SON MUCHAS MONEDAS...

—¡PERO UN TRATO ES UN TRATO!

—ADEMÁS, POR TOCAR UN POCO LA FLAUTA...

¿NO PENSARÍAIS HACEROS RICO? SI NO ESTÁIS CONFORME

PODÉIS MARCHAROS. YA NO OS NECESITAMOS.

EL ALCALDE DIO MEDIA VUELTA Y DEJÓ
AL FLAUTISTA PLANTADO EN MEDIO DE LA PLAZA.
A SU ALREDEDOR TODOS REÍAN Y CELEBRABAN
LA DECISIÓN DE SU ALCALDE, QUE HABÍA AHORRADO
TREINTA MONEDAS DE ORO AL MUNICIPIO.

PERO POR ENCIMA DE LAS RISAS SE OYÓ OTRA
VEZ LA VOZ DEL FLAUTISTA:

—¡NO OS VAYÁIS TAN DEPRISA! TODAVÍA QUEDAN
EN MI FLAUTA ALGUNAS NOTAS PARA AQUELLOS
QUE SE SIRVEN DE ENGAÑOS.

EL FLAUTISTA EMPEZÓ A TOCAR DE NUEVO.
ESTA VEZ LA MELODÍA ERA DISTINTA, ALGO MÁS SUAVE
Y MÁS DULCE.

AL OÍRLA, UNA MULTITUD DE NIÑOS ALEGRES,
DE NIÑAS QUE SALTABAN Y GIRABAN
AL SON DE LA MÚSICA, COMENZARON A SEGUIRLE.

ENCANTADOS, SIN HACER CASO A SUS PADRES,

SIN OÍR LAS VOCES DESESPERADAS DE SUS MADRES,

ABANDONARON LA CIUDAD TRAS ESA DULCE

MELODÍA QUE LOS ARRASTRABA CADA VEZ MÁS LEJOS.

ESA MISMA MÚSICA IMPEDÍA A LOS PADRES MOVERSE

Y SOLO LES PERMITÍA ESTIRAR LOS BRAZOS

EN DIRECCIÓN A SUS HIJOS.

—¡NO LO HAGÁIS, FLAUTISTA! —GRITABA

EL ALCALDE—. OS DARÉ LAS CUARENTA MONEDAS...

CIEN SI QUERÉIS... ¡PERO NO LO HAGÁIS!

TODOS CREYERON QUE SUS HIJOS, IGUAL QUE ANTES
LAS RATAS, MORIRÍAN AHOGADOS.

PERO AL LLEGAR AL RÍO, EL FLAUTISTA SE DESVIÓ
Y GIRÓ HACIA LA MONTAÑA.
ALLÍ, LAS PIEDRAS SE ABRIERON FORMANDO
UNA GRUTA. Y MIENTRAS EL FLAUTISTA TOCABA,
LOS NIÑOS FUERON ENTRANDO SIN DEJAR DE BAILAR.
LA MONTAÑA, ENTONCES, SE CERRÓ DE GOLPE
Y TODOS QUEDARON DENTRO. TODOS, MENOS UNO:
UN PEQUEÑO HUÉRFANO QUE COJEABA
Y AL QUE NO HABÍA DADO TIEMPO A LLEGAR.

CUANDO EL NIÑO COJITO POR FIN LLEGÓ,
LA MÚSICA HABÍA CESADO Y EL FLAUTISTA
DORMÍA CON SU FLAUTA EN LA MANO.
EL PEQUEÑO, ASUSTADO, COMPRENDIÓ
QUE ERA EL ÚNICO QUE PODÍA SALVARLOS.

COGIÓ LA FLAUTA Y COMENZÓ A TOCAR.
LA MONTAÑA SE ABRIÓ NUEVAMENTE Y EL RESTO
DE LOS NIÑOS LOGRÓ ESCAPAR.
ANTES DE QUE SE CERRARA
LANZÓ LA FLAUTA DENTRO CON TODAS
SUS FUERZAS Y ÉSTA SE QUEDÓ ALLÍ
PRESA PARA SIEMPRE.

CUANDO EL FLAUTISTA DESPERTÓ, SE ENCONTRÓ
SOLO Y SIN SU FLAUTA. SE COLOCÓ EL GORRO,
ESTIRÓ SU TRAJE Y EMPRENDIÓ EL CAMINO.

LUEGO, MIRANDO DESDE LEJOS CÓMO ABRAZABAN
LOS PADRES A SUS HIJOS, SONRIÓ.
SABÍA QUE EN HAMELIN, NUNCA, NUNCA
OLVIDARÍAN LO SUCEDIDO.

Y COLORÍN COLORADO, ESTE CUENTO
SE HA ACABADO.